D0625446

The
SUSHI
menu
6 languages ....

Your guide to authentic Japanese sushi
À la découverte des sushi japonais
Ihr Ratgeber für authentisches Sushi
Guida all'autentico sushi giapponese
Una guía del auténtico sushi japonés
O seu guia para o verdadeiro sushi japonês

寿司
sushi

寿司について
sushi ni tsuite

会話と言葉
kaiwa to kotoba

AGURO

まくろ

Tuna _fish_ Classic sushi. Very soft, fatty fish with meaty taste. Can keep for days in soy sauce, but now usually served fresh.

Thon _poisson_ Sushi classique. Chair très moelleuse au goût de viande. Se sert cru mais se conservait autrefois dans de la sauce soja.

Tunfisch _Fisch_ Klassisches Sushi. Sehr weicher, öliger Fisch. Hält sich in Sojasoße mehrere Tage, wird heute jedoch meist frisch serviert.

Tonno _pesce_ Un classico per il sushi. Pesce molto tenero, grasso con un sapore di carne. Si usava conservarlo per giorni nella salsa di soia.

Atún _pescado_ El típico sushi. Pescado graso fresco, muy blando, con sabor a carne. Hasta hace poco se conservaba durante días en salsa de soja.

Atum _peixe_ Peixe muito tenro e suculento, é o sushi clássico. Outrora mantido vários dias em molho de soja, agora é servido fresco.

4

Ō-TORO

おおとろ

Tuna belly
fish
Most expensive cut of tuna, very fatty and meltingly soft. **Chū-toro** is slightly cheaper, darker and a little less fatty.

Ventre de thon
poisson
Très grasse et fondante, la partie la plus onéreuse du thon. Le **chū-toro** est un peu moins cher et moins gras.

Tunfischbauch
Fisch
Teuerstes Stück am Tunfisch, sehr ölig und weich. **Chū-toro** ist etwas billiger, dunkler und weniger ölig.

Pancia di tonno
pesce
Questo è il taglio di tonno più caro, grasso e così morbido da sciogliersi in bocca. Il **chū-toro** è un po' meno caro e meno grasso.

Ventresca de atún
pescado
La parte más cara del atún, muy grasa y tan suave que se deshace. El **chū-toro** es un poco más barata y menos grasa.

Barriga de atum
peixe
Parte mais cara do atum, muito tenra e suculenta. A **chū-toro** é ligeiramente mais barata e menos gorda.

AKE

さ ◆ け

Salmon _{fish} Not common for sushi in Japan. The name sounds similar to that of rice wine, so pronounce it **sha-ke**, in a Tokyo accent.

Saumon _{poisson} Peu utilisé au Japon pour les sushi. Son nom se prononce **shâ-ké** à Tokyo. À ne pas confondre avec le saké.

Lachs _{Fisch} Der Name klingt wie das Wort für Reiswein. Sprechen Sie es daher **scha-ke** aus. Wird in Japan nicht oft für Sushi verwendet.

Salmone _{pesce} Il nome sembra simile al vino di riso, quindi pronunciarlo **scià-ke**, con un accento di Tokyo. Non è molto comune per il sushi in Giappone.

Salmón _{pescado} No es frecuente utilizarlo para sushi en Japón. El nombre suena parecido al del vino de arroz, así que diga **shá-ke**, en acento de Tokyo.

Salmão _{peixe} O nome é parecido com o da aguardente de arroz, por isso, diga **sha-ke**, com o sotaque de Tóquio. Não é muito usado como sushi no Japão.

RAME

ひ ら め

Brill
fish
 Like halibut and turbot, with delicate taste and very firm when fresh. Eaten as sashimi with **momiji-oroshi**.

Barbue
poisson
 Poisson à la chair très ferme quand il est frais et au goût délicat. Se mange en sashimi accompagné de sauce **momiji-oroshi**.

Brill
Fisch
 Wie Heilbutt zarter Geschmack und in frischem Zustand sehr festes Fleisch. Wird als Sashimi mit **Momiji-oroshi** gegessen.

Rombo
pesce
 Pesce nostrano simile a quello giapponese. Ha una carne molto ferma se fresco. Si mangia come sashimi con il **momiji-oroshi**.

Rodaballo
pescado
 Como el halibut, es de sabor delicado y muy firme cuando es fresco. Se come como sashimi con **momiji-oroshi**.

Solha
peixe
 É como o alabote, com um sabor muito delicado e muito firme quando é fresco. É comido como sashimi com **momiji-oroshi**.

UZUKI

Sea bass _{fish} Very tasty in season and good with **shiso**. Also served as transparently thin sashimi with **ponzu** or **momiji-oroshi**.

Loup de mer _{poisson} Chair goûteuse en saison. S'utilise également dans les sashimi avec du **ponzu** ou de la sauce **momiji-oroshi**.

Zackenbarsch _{Fisch} Wird auch dünn aufgeschnitten als Sashimi mit **Ponzu** oder **Momiji-oroshi** serviert. In der Saison sehr schmackhaft.

Spigola _{pesce} Uno dei pesci simili all'originale giapponese, molto saporito se di stagione. Servito anche come sashimi con **ponzu** o **momiji-oroshi**.

Lubina grande _{pescado} Muy sabrosa cuando es de temporada. También se sirve como sashimi, cortada muy fina, con **ponzu** o **momiji-oroshi**.

Robalo _{peixe} É muito saboroso na sua época. Também é servido como sashimi, em fatias muito finas, com **ponzu** ou **momiji-oroshi**.

HAMACHI

は ま ち

Young yellowtail
fish
Rich and smoky-tasting ocean-going fish, fatty and very popular. Best when young. Good for **o-tōshi**.

Sériole
poisson
Poisson de haute mer à la chair grasse et au goût fumé. Très courant. Convient bien pour les **o-tōshi**.

Japanische Seriola
Fisch
Üppiger, rauchig schmeckender Seefisch, welcher ölig und sehr beliebt ist. Wird für **O-tōshi** verwendet.

Ricciola
pesce
Dal sapore ricco e affumicato, è un pesce oceanico, grasso e molto popolare, apprezzata per la bontà delle carni. Buona per l'**o-tōshi**.

Sorel
pescado
Es un pescado muy pesado y con un sabor como ahumado. Es graso y muy popular. Es bueno para el **o-tōshi**.

Linguadinho
peixe
É um peixe de mar rico e gordo, com sabor a fumado e muito popular. Bom para servir como **o-tōshi**.

14

BI

Prawn
shellfish
Usually lightly boiled on skewer, then split and opened out. The common **kuruma-ebi** can be eaten alive as **odori-gui**.

Crevettes
fruits de mer
Cuites rapidement à l'eau bouillante, puis décortiquées et ouvertes. On utilise la variété **kuruma-ebi** pour les **odori-gui**.

Königsgarnele
Meeresfrüchte
Wird kurz gekocht, dann gespalten und ausgebreitet. Die weit verbreitete **Kuruma-ebi** wird auch roh als **Odori-gui** gegessen.

Gamberetto
crostaceo
Appena scottato e poi schiacciato e aperto. Il comune **kuruma-ebi** può essere mangiato vivo come **odori-gui**.

Langostino
marisco
Ligeramente hervido y después abierto en dos. El típico **kuruma-ebi** se puede comer vivo como **odori-gui**.

Gambas
marisco
São cozidas ligeiramente e depois abertas e descascadas. As **kuruma-ebi** comuns podem ser comidas vivas como **odori-gui**.

あまえび

S weet prawn
shellfish

Slightly sweet and very popular for sushi. Widely available and served raw with wasabi.

C revette nordique
fruits de mer

Très courant dans les sushi, crustacé au goût délicat servi cru, accompagné de wasabi.

N ordmeergarnele
Meeresfrüchte

Süßer Geschmack, sehr beliebt für Sushi. Überall erhältlich, wird roh mit Wasabi serviert.

P andalo
crostaceo

Crostaceo di sapore dolce e molto popolare per il sushi. Facilmente reperibile, è servito crudo con wasabi.

C amarón dulce
marisco

De sabor dulce y muy popular para el sushi. Es muy común y se sirve crudo con wasabi.

C amarão
marisco

De sabor adocicado, são um marisco muito popular. Servidas cruas com wasabi, na maioria dos bares de sushi.

JI

あ ◆ じ

Horse mackerel
fish
Like all **hikari-mono** very good against cholesterol. Served with **negi** and ginger, or with wasabi.

Chinchard
poisson
Très bon contre le cholestérol, comme tous les petits poissons gras. S'accompagne de **negi** et de gingembre, ou de wasabi.

Bastardmakrele
Fisch
Wie alle **Hikari-mono** sehr gut gegen Cholesterin. Wird mit **Negi** und Ingwer oder Wasabi serviert.

Suro
pesce
Come tutti gli **hikari-mono**, è molto adatto contro il colesterolo. Di solito viene servito con **negi** e zenzero o con wasabi.

Jurel
pescado
Como todos los **hikari-mono** es muy bueno para combatir el colesterol. Se sirve con **negi** y jengibre o con wasabi.

Chicharro
peixe
Tal como todos os **hikari-mono**, é muito bom para combater o colesterol. Servido com **negi** e gengibre, ou wasabi.

ABA

Mackerel
fish
Strong-tasting **hikari-mono**. Used for many types of sushi. Often marinated in salt and vinegar for **nigiri-zushi**.

Maquereau
poisson
Hikari-mono au goût très prononcé. Se marine au sel et au vinaigre pour les **nigiri-zushi**. S'utilise pour divers types de sushi.

Makrele
Fisch
Hikari-mono mit intensivem Geschmack. Wird für **Nigiri-zushi** in Salz und Essig mariniert. Kommt in vielen Arten von Sushi vor.

Sgombro
pesce
È un **hikari-mono** dal sapore forte. Può essere marinato sotto sale ed aceto per il **nigiri-zushi**. È usato per molti tipi di sushi.

Caballa
pescado
Hikari-mono de sabor fuerte. Se puede adobar con sal y vinagre para el **nigiri-zushi**. Se usa para muchos tipos de sushi.

Sarda
peixe
Hikari-mono com sabor forte. Marinado em sal e vinagre para fazer **nigiri-zushi**. Usado em muitos tipos de sushi.

KA

いか

Squid
shellfish
Smooth al dente flesh which becomes with sticky when chewed. Sometimes served with lemon and salt.

Encornet
fruits de mer
Sa chair lisse et ferme devient fondante quand on la mâche. S'accompagne parfois de citron et de sel.

Kalmar
Meeresfrüchte
Das glatte, bißfeste Fleisch klebt ein bißchen beim Kauen. Wird manchmal mit Zitrone und Salz serviert.

Calamaro
frutti di mare
La carne liscia e al dente diventa appiccicosa quando è masticata. Talvolta è servito con limone e sale.

Calamar
marisco
Cuando se cocina al dente, su carne es suave. Se vuelve un poco pegajosa al masticar. A veces se sirve con limón y sal.

Lula
molusco
Macia e servida al dente, a lula oferece uma certa aderência ao mastigar. Por vezes é servida temperada com limão e sal.

AKO

た ◆ こ

Octopus
shellfish — Boiled in broth or tea, then the tentacles are sliced for sushi. Should be chewed to release full flavour.

Poulpe
fruits de mer — Bouilli au court-bouillon ou au thé. Tentacules découpées pour les sushi. Sa chair doit être mâchée pour donner toute sa saveur.

Tintenfisch
Meeresfrüchte — Wird in Brühe oder Tee gekocht, die Tentakel in Scheiben geschnitten. Der volle Geschmack entfaltet sich beim Herumkauen.

Polipo
frutti di mare — Bollito in brodo o nel tè, i tentacoli sono poi affettati per il sushi. Deve essere masticato bene per gustarne pienamente il sapore.

Pulpo
marisco — Se hierve en caldo o té y después los tentáculos se cortan en trozos para el sushi. Hay que masticarlo para que suelte todo el sabor.

Polvo
molusco — Cozido em caldo ou em chá. Os tentáculos são cortados às fatias. Mastigar bem para libertar todo o seu sabor.

TAMAGO-YAKI

た ま ご

Omelette
w. fish stock — Served cold and sweet, and used by connoisseurs to judge an unknown chef before trying the seafood sushi.

Omelette
au court-bouillon — Se mange froide et sucrée. Elle sert aux amateurs à juger les aptitudes d'un chef inconnu avant de goûter ses fruits de mer.

Omelette
m. Fischbrühe — Wird von Feinschmeckern bei neuen Köchen als Testspeise bestellt, bevor man die Fischgerichte ausprobiert. Kalt und süß.

Omelette
con brodo di pesce — Fredda e dolce, è usata dai conoscitori per giudicare la bravura di un nuovo chef prima di gustare la sua cucina di pesce.

Tortilla
con caldo de pescado — Fría y dulce, la usan los entendidos para juzgar a un chef desconocido antes de probar el pescado.

Omeleta
com caldo de peixe — Os apreciadores usam-na para avaliar o cozinheiro antes de provar o peixe ou o marisco. Servido fria e doce.

WABI

あわび

Abalone
shellfish — Highly prized and expensive, with very chewy flesh. Steamed in broth and sake or served raw or live.

Ormeau
fruits de mer — Mets rare et cher, cuit à la vapeur de bouillon et de saké, ou servi cru ou vivant. Chair très ferme.

Seeohr
Meeresfrüchte — Sehr begehrt und teuer. Wird in Brühe und Sake gedämpft, oder roh oder lebend serviert. Ziemlich weich und klebrig.

Orecchietta di mare
mollusco — Ricercatissima e molto cara. Cotta al vapore in brodo e sake o servita cruda o viva. Molto stopposa.

Abulón
marisco — Muy apreciado y caro. Cocido al vapor con caldo y sake o servido crudo o vivo. Muy duro de masticar.

Haliote
mollusco — Muito apreciado e caro. É cozido a vapor de caldo e saké, ou servido cru ou vivo; com certa elasticidade ao mastigar.

OTATEGAI

ほたて◆がい

S callop
shellfish

Named for its billowing motion, like a ship's sail. Large adductor muscle is served raw, sometimes with lemon.

C oquille St-Jacques
fruits de mer

En japonais, son nom évoque une voile gonflée de vent. Sa large noix se sert crue, parfois accompagnée de citron.

P ilgermuschel
Meeresfrüchte

Der Name verweist auf das geblähte Segel eines Schiffs. Der große Adduktormuskel wird roh serviert, manchmal mit Zitrone.

P ettine
mollusco

Prende il nome dall'effetto delle vele gonfiate dal vento. Il grande muscolo adduttore si serve crudo, talvolta con il limone.

V ieira
marisco

El nombre se refiere al parecido entre el movimiento de la vieira y la vela hinchada de un barco. Se sirve crudo, a veces con limón.

V ieira
molusco

Nome atribuído pela sua semelhança com uma vela enfunada, este molusco grande é servido cru, às vezes com limão.

32

IRUGAI

みるがい

Gaper
shellfish — Clam with long, muscular siphon sliced semi-live for sushi. Reacts slightly when chef bangs shell, if very fresh.

Mye
fruits de mer — Coquillage doté d'un long siphon découpé semi-vivant pour le sushi. Très frais, il se rétracte quand on frappe sur sa coquille.

Sandklaffmuschel
Meeresfrüchte — Muschel mit langem Rüssel, wird halb lebendig aufgeschnitten. Reagiert in frischem Zustand, wenn der Koch sie aufschlägt.

Mollusco del cavallo
mollusco — Reagisce quando se ne percuote il guscio soltanto se veramente fresco. Il lungo sifone è affettato semi-vivo.

Almeja
marisco — Tipo de almeja con sifón largo y musculoso. Se corta, semiviva, en rodajas y, si es muy fresca, se mueve cuando el chef golpea la concha.

Ameijola
molusco — Tipo de amêijoa com sifão muscular longo, é cortada meia viva para o sushi. Se estiver fresca, reage quando o cozinheiro lhe bate na concha.

ORIGAI

とりがい

Cockle
shellfish — Literally called chicken-shell, for its taste and supposedly beak-like dark pointed end. Very chewy.

Coques
fruits de mer — Le nom japonais signifie coque-poulet à cause de son goût et, apparemment, de sa forme de bec. Chair très ferme.

Herzmuschel
Meeresfrüchte — Wörtlich Hühnermuschel, wegen des Geschmacks und der angeblich schnabelähnlichen Form. Ziemlich weich und klebrig.

Cardio
mollusco — Alla lettera arsella della gallina, a causa del sapore e per la forma a becco. Molto gommosa.

Berberecho
marisco — Literalmente concha de pollo debido a su sabor y a su forma, supuestamente de pico. Muy duro de masticar.

Berbigão
molusco — Traduzido à letra, amêijoa-galinha, devido ao sabor e à suposta forma em bico. Textura um pouco elástica.

KAGAI

あかがい

Ark shell
shellfish

Crisp, sweet delicacy. The highly prized threadlike edges may appear with cucumber in a **maki-zushi** called **himo-kyū**.

Arche de Noé
fruits de mer

Spécialité croustillante et savoureuse, très prisée des connaisseurs. Accompagne le concombre dans les **himo-kyū**.

Archenmuschel
Meeresfrüchte

Knusprige, süße Delikatesse. Die begehrten fadenartigen Räder findet man mit Gurke in **Himo-kyū**.

Arca di Noè
mollusco

Specialità dolce e croccante. I ricercatissimi bordi filamentosi possono accompagnare il cetriolo nell'**himo-kyū**.

Arca de Noé
marisco

Exquisitez dulce, fresca. Los filamentos en los bordes que son muy apreciados pueden aparecer con pepino en el **himo-kyū**.

Arca de Noé
molusco

Iguaria doce e estaladiça. As suas extremidades finas e muito apreciadas, podem ser servidas com pepino no **himo-kyū**.

NAGI

うなぎ

Freshwater eel
fish
Grilled with sweet **tsume**, and very tasty. Eel is eaten on the solar Day of the Ox for good health during the hot summer.

Anguille d'eau douce
poisson
Grillée, accompagnée de **tsume** aigre-doux. L'anguille se mange le Jour du bœuf dans le calendrier solaire japonais.

Süßwasseraal
Fisch
Wird mit süßer **Tsume** gegrillt. Aal ißt man am Sternzeichentag des Ochsen, für Gesundheit während des heißen Sommers.

Anguilla giapponese
pesce
Cotta alla griglia con **tsume** dolce è mangiata il Giorno del Bove, per mantenere la salute durante i caldi giorni estivi.

Anguila
pescado
Se asa a la parilla con **tsume** dulce. Se come el Día del Buey, según el calendario solar, para desear salud en el caluroso verano.

Enguia de água doce
peixe
Grelhada com **tsume** doce, é muito saborosa. A enguia é comida no dia solar do Boi para dar saúde no verão quente.

ZUNOKO

かずのこ

Herring roe _{fish} Traditional New Year dish. Intact wedges of preserved roe are marinated in broth and soy sauce. Very costly.

Œufs de hareng _{poisson} Plat traditionnel du Nouvel An. Se sert en morceaux salés entiers, marinés dans du bouillon et de la sauce soja.

Heringrogen _{Fisch} Traditionelle Neujahrsspeise. Ganze Spalten von eingelegtem Rogen werden in Brühe und Sojasoße mariniert.

Uova di aringa _{pesce} Si serve tradizionalmente per l'anno nuovo. Sono conservate sotto sale e mangiate marinate in brodo e salsa di soia.

Huevas de arenque _{pescado} Plato tradicional de Año Nuevo. Trozos intactos de huevas en conserva, adobadas en caldo y salsa de soja.

Ovas de arenque _{peixe} Prato tradicional do Ano Novo. Gomos intactos de ovas em conserva, são marinadas em caldo e molho de soja.

TOBIKO

とびこ

Flying fish roe
fish
Usually served as **gunkan-maki** (gunboat wrap) with a **nori** skirt to hold the tiny, salty eggs on the rice.

Œufs de poisson volant
poisson
Servi sous forme de **gunkan-maki**, enveloppé d'un ruban de **nori** pour maintenir la fine laitance sur le riz.

Rogen vom fliegenden Fisch
Fisch
Wird als **Gunkan-maki** (Kanonenbootrolle) serviert. Ein Gürtel aus Nori verhindert, daß der Rogen vom Reis fällt.

Uova di pesce rondine
pesce
Servito come **gunkan-maki** (involtino a cannoniera) con una balza di **nori** per tener ferme le uova salate sul riso.

Huevas de pez volador
pescado
Se sirve como **gunkan-maki** con una banda de **nori** alrededor para contener los huevecillos en el arroz.

Ovas de peixe voador
peixe
Servido como **gunkan-maki**, envolto com uma cinta de nori para segurar os pequeninos ovos salgados no arroz.

URA

いくら

Salmon roe
fish
Popular **gunkan-maki** named from the Russian ikra (roe). The eggs are salty and slightly sticky. Without wasabi.

Œufs de saumon
poisson
Gunkan-maki apprécié, dont le nom vient du mot russe ikra (œufs). Texture salée et légèrement collante.

Lachsrogen
Fisch
Beliebtes **Gunkan-maki**, nach dem russischen Wort für Rogen (ikra). Salzig und ein bißchen klebrig. Ohne Wasabi.

Uova di salmone
pesce
Un tipo di **gunkan-maki**. Prende il nome dal russo ikra (uova). Salato e leggermente appiccicoso. Mai con il wasabi.

Huevas de salmón
pescado
Popular **gunkan-maki** cuyo nombre proviene del ruso ikra (hueva). Salado y un poco pegajoso, se comer sin wasabi.

Ovas de salmão
peixe
É um **gunkan-maki** muito popular, cujo nome provém do russo – ikra (ova). As ovas são salgadas e aderentes.

46

NI

う◆に

Sea urchin roe
shellfish
Delicacy with strong taste which contrasts perfectly with soy sauce. Expensive, and must be eaten very fresh.

Œufs d'oursin
fruits de mer
Mets de choix coûteux, au goût prononcé bien contrasté avec la saveur salée de la sauce soja. Se mange très frais.

Seeigelrogen
Meeresfrüchte
Eine Delikatesse die nach Meer schmeckt. Wird als **Gunkan-maki** serviert. Teuer, und muß ganz frisch gegessen werden.

Uova di riccio di mare
frutti di mare
Specialità dal sapore forte e persuasivo. È molto caro e deve essere mangiato veramente freschissimo.

Huevas de erizo
marisco
Esquisitez con un sabor muy fuerte que se sirve como **gunkan-maki**. Es caro y debe comerse fresco.

Ovas de ouriço do mar
marisco
Iguaria com sabor forte que é servida como **gunkan-maki**. É cara e deve ser comida muito fresca.

KAPPA-MAKI

かっぱ

Goblin's roll
vegetarian

Basic **maki-zushi** (roll) named after the evil green water goblin, Kappa, who loves the cucumber core.

Rouleau du farfadet
végétarien

Maki-zushi tenant son nom du Kappa, un malfaisant farfadet vert des cours d'eau, qui aime le concombre au cœur du sushi.

Geisterrolle
vegetarisch

Einfaches **Maki-zushi** (Rolle), nach dem bösen, grünen Untier Kappa benannt, der die Gurke in der Mitte liebt.

Involtino del folletto
vegetariano

Maki-zushi semplice che prende il nome dal cattivo gnomo verde dell'acqua, Kappa, che adora il centro del cetriolo.

Rollo del duende
vegetariano

Maki-zushi que debe su nombre al travieso duende del agua verde, Kappa, a quien le encanta el corazón del pepino.

Crepe "Gnomo"
vegetariano

É um **maki-zushi** básico, cujo nome foi inspirado no cruel gnomo verde da água, Kappa, que adora miolo de pepino.

EKKA-MAKI

てっか

Gamblers' roll
fish
Maki-zushi with tuna core. Supposedly eaten by gamblers as a convenient finger food during play.

Rouleau du joueur
poisson
Maki-zushi au thon. Réputé fort prisé des joueurs qui n'ont pas besoin de s'arrêter de jouer pour manger ces rouleaux.

Spielerrolle
Fisch
Maki-zushi mit Tunfisch. Angeblich bei Glücksspielern als praktischer, fingerfertiger Imbiß beliebt.

Involtino del giocatore
pesce
Pare che chi giochi d'azzardo scelga questo **maki-zushi** ripieno di tonno perché può mangiarlo con le mani mentre punta.

Rollito del jugador
pescado
Maki-zushi con atún. Al parecer, lo comían los jugadores de apuestas porque era muy práctico para coger con los dedos.

Crepe de jogador
peixe
Um **maki-zushi** com centro de atum. Comido como petisco durante jogos de cartas e outros semelhantes.

52

AMPYŌ-MAKI

かんぴょう

Gourd roll
vegetarian
Pale dried flesh of Japanese gourd, like vegetable marrow. Boiled with sugar and soy sauce for core of **maki-zushi**.

Rouleau à la courge
végétarien
La chair de la courge japonaise rappelle celle de la courgette et se mange bouillie avec du sucre et de la sauce soja.

Kürbisrolle
vegetarisch
Das blasse, getrocknete Fleisch des japanischen Kürbisses. Wird mit Zucker und Sojasoße gekocht.

Involtino di zucca di mare
vegetariano
La polpa essiccata di zucca di mare giapponese, simile alla zucca. Bollita in un brodo con zucchero e salsa di soia.

Rollito de calabaza
vegetariano
Pulpa pálida y seca de una variedad de calabaza japonesa. Se hierve con azúcar y salsa de soja.

Crepe de abóbora
vegetariano
Miolo esbranquiçado e seco da abóbora japonesa. É cozida em açúcar e molho de soja para **maki-zushi**.

TO-MAKI

ふとまき

Thick roll
mixed

Meal in itself, with typically six ingredients. Can be made vegetarian or vegan on request, or may include egg and **denbu**.

Rouleau épais
mixte

Plat aux nombreux ingrédients. Végétarien sur demande. Peut contenir des œufs ou du **denbu**.

Dicke Rolle
Mischung

Eine Mahlzeit für sich. Vegetarische oder veganische Variante auf Bestellung. Kann auch mit Ei und **Denbu** zubereitet werden.

Involto
misto

Questo è un pasto a se'. Su richiesta può essere preparato vegano o vegetariano, può includere uovo e **denbu**.

Rollo
combinado

Constituye una comida en sí mismo. Puede que contenga huevo o **denbu**, pero si lo desea, vegetariano o vegano.

Crepe espesso
misto

Constitui uma refeição por si só. Se desejar, poderá ser vegetariano ou conter ovo e **denbu**.

MAKI-ZUSHI

て まき

Hand-rolled sushi
mixed
Cone-shaped **maki-zushi.** Left to right: **oshinko-maki, ume-shiso-maki, negi-toro-maki, nattō-maki.**

Sushi roulé à la main
mixte
Rouleau de nori cônique. De gauche à droite: **oshinko-maki, ume-shiso-maki, negi-toro-maki, nattō-maki.**

Handgerolltes Sushi
Mischung
Kegelförmiges **Maki-zushi.** Von links nach rechts: **Oshinko-maki, Ume-shiso-maki, Negi-toro-maki, Nattō-maki.**

Sushi arrotolato a mano
misto
Maki-zushi a forma di cono. Da sinistra: **oshinko-maki, ume-shiso-maki, negi-toro-maki, nattō-maki.**

Sushi enrolado a mano
combinado
Maki-zushi en forma de cono. A la direcha: **oshinko-maki, ume-shiso-maki, negi-toro-maki, nattō-maki.**

Sushi enrolado à mão
misto
Maki-zushi em forma de cone. Da esquerada à direita: **oshinko-maki, ume-shiso-maki, negi-toro-maki, nattō-maki.**

Fox's sushi
vegetarian

Named after the fox-god, who is said to love the sweet fried tofu pockets which hold the sushi rice.

Sushi du renard
végétarien

Tient son nom du dieu renard qui, dit-on, est friand de ces bouchées aigre-douces de tofu farci de shari.

Fuchs-Sushi
vegetarisch

Nach dem Fuchsgott benannt, der angeblich die süßen, gebratenen Tofutaschen liebt, die den Sushi-Reis zusammenhalten.

Sushi della volpe
vegetariano

Prende il nome dal dio-volpino che si dice adori le borsette di tofu dolce fritto che nascondono il riso sushi.

Sushi del zorro
vegetariano

Debe su nombre al dios-zorro, a quien le encantan los paquetitos dulces de tofu frito que sujetan el arroz para el sushi.

Sushi de raposa
vegetariano

Tem o nome do deus-raposa, que se diz gostar muito de saquinhos de tofu doce frita, que contêm o sushi de arroz.

IRASHI-ZUSHI

ち　し

Scattered sushi
mixed
Seven or more ingredients, mostly vegetables and raw seafood, strewn over rice in a bowl. Eaten with chopsticks.

Bol de fruits de mer
mixte
Bol de riz sur lequel sont éparpillés au moins sept ingrédients, en majorité des fruits de mer et du poisson crus.

Verstreutes Sushi
Mischung
Sieben oder mehr Bestandteile, meist rohe Meeresfrüchte, auf Reis in einem Schüsselchen. Wird mit Stäbchen gegessen.

Sushi sparpagliato
misto
Riso servito in una scodella e ricoperto disordinatamente da sette o più ingredienti, soprattutto pesci e frutti di mare crudi.

Sushi disperso
combinado
Siete o más ingredientes, la mayoría pescado crudo, dispuestos encima del arroz en un cuenco. Se come con palillos.

Sushi misto
misto
Sete ou mais ingredientes, na sua maioria peixes e mariscos crus, por cima do arroz numa tigela. É comido com pauzinhos.

ZENDATE

1. shōyu-ire 2. sushi-geta 3. gari 4. oshibori
5. o-cha 6. shōyu-zara 7. hashi 8. o-suimono

AKUMI

wasabi

momiji-oroshi

shiso

寿司について
SUSHI NI TSUITE

- **En** About sushi
- **F** Les sushi
- **D** Wissenswertes über Sushi
- **I** Tutto sul Sushi
- **Es** Todo sobre el sushi
- **P** Tudo sobre sushi

En What is sushi?

F Qu'est-ce que les sushi ?

D Was ist Sushi?

I Che cos'è il sushi?

Es ¿Qué es el sushi?

P O que é sushi?

寿司

ENGLISH

Sushi does not mean raw fish! Completely raw slivers of fish, beef or even game dipped in soy sauce are called **sashimi**. Sushi, on the other hand, always involves vinegared rice with all sorts of other ingredients: vegetables, eggs, tofu, or fish cooked or raw. The simplest and most familiar type of sushi is **nigiri-zushi**: a finger of rice topped with a fillet of fish. Sushi is surprisingly filling and can make a meal in itself, a quick snack or the perfect party food. In Japan it is popular for lunch or with drinks after work.

FRANÇAIS

Le mot 'sushi' ne signifie pas poisson cru (les copeaux de poisson, de bœuf ou de gibier crus qu'on trempe dans la sauce soja s'appellent **sashimi**). Les sushi sont des bouchées de riz au vinaigre farcies d'ingrédients divers: légumes, œufs, tofu, poisson cuit ou cru. Le sushi le plus courant est le **nigiri-zushi**, un doigt de riz garni d'un ruban de poisson. Apaisant vite la faim, les sushi peuvent constituer un repas ou une collation, ou figurer sur un buffet. Au Japon, on les déguste au déjeuner ou après le travail, autour d'un verre.

DEUTSCH

Sushi ist nicht einfach nur roher Fisch! Rohe Scheiben von Fisch, Rindfleisch oder sogar Wild, die in Sojasoße getunkt werden, heißen **Sashimi**. Zum Sushi gehört in Essig marinierter Reis und verschiedene andere Zutaten: Gemüse, Eier, Tofu, roher oder gekochter Fisch. Das bekannteste Sushi ist das **Nigiri-Zushi**: zu einem Finger geformter Reis, mit einem Fischfilet bedeckt. Sushi ist erstaunlich sättigend und eignet sich als ganze Mahlzeit oder als schneller Imbiß und ist ideal für Partys. In Japan ist es als Mittagessen beliebt und als Imbiß nach der Arbeit mit ein paar Getränken.

ITALIANO

Sushi non significa dover mangiare pesce crudo! Listelle di pesce, carne o cacciagione completamente crude ed inzuppate in salsa di soia si chiamano **sashimi**. Per sushi si intende riso condito con aceto con moltissimi altri ingredienti: verdura, uova, tofu e pesce, crudo o cotto. Il tipo di sushi più conosciuto è il **nigiri-zushi**: un bastoncino di riso coperto da un filetto di pesce. Il sushi, non ci crederete, riempie molto e può essere un pasto vero e proprio, uno snack veloce o il cibo ideale per una festa. In Giappone è molto diffuso per pranzo o con un drink dopo il lavoro.

ESPAÑOL

Sushi no significa pescado crudo. Las lonjas finas de pescado, ternera o incluso de caza totalmente crudos, mojados en salsa de soja se denominan **sashimi**. El sushi se compone de arroz macerado con vinagre y otros ingredientes como verduras, huevos, tofu y pescado cocido o crudo. El más conocido es el **nigiri-zushi**: arroz y pescado prensado a mano en pequeños bloques llena mucho y puede constituir una comida por sí mismo, una tapa rápida o un aperitivo ideal para las fiestas. En Japón es popular comerlo a la hora del almuerzo o con una bebida después del trabajo.

PORTUGUÊS

Sushi não significa peixe cru. As tiras de peixe, carne de vaca ou até mesmo carne de caça são cruas e chamam-se **sashimi**. O sushi é um prato que envolve arroz avinagrado, com vários tipos de ingredientes: legumes, ovos, tofu, peixe cozinhado ou cru. O sushi mais vulgar é o **nigiri-zushi**: um bocado de arroz coberto por um fino filete de peixe. Surpreendentemente, o sushi é bastante substancial e poderá constituir por si só uma refeição normal ou ligeira, ou o prato ideal para uma festa. No Japão é muito apreciado ao almoço ou para acompanhar com uma bebida após o trabalho.

- **En** The sushi bar
- **F** Le bar à sushi
- **D** Die Sushi Bar
- **I** Il sushi bar
- **Es** El sushi bar
- **P** O bar de sushi

鮨屋

ENGLISH

The best place to enjoy sushi is under the eye of the chef, in a real **sushi-ya**. Some have fewer than a dozen seats, so it is best to book for peak times. The waiting staff will seat you, offer a hot towel for your hands, take orders for drinks and bring complimentary **o-tōshi**. If you sit at the counter you can order your sushi piece by piece from the chef. At a side table it may be easier to ask the waiting staff for one of the fixed-price sets – graded **toku-jō**, **jō** or **nami** – and in a kaiten-zushi you help yourself from the conveyor belt.

FRANÇAIS

Dans l'idéal, les sushi se mangent sous l'œil du chef, dans un vrai **sushi-ya**. Certains n'ont qu'une dizaine de places et il est conseillé de réserver aux heures d'affluence. Le personnel vous installe, vous donne une serviette chaude pour les mains, prend la commande des boissons et vous offre les **o-tōshi** (hors-d'œuvre). Au comptoir, les sushi se commandent un par un au chef. À une table, on peut demander un menu à prix fixe – **toku-jō**, **jō** ou **nami** – tandis que dans un kaiten-zushi, chacun se sert parmi les plats qui défilent devant soi.

68

DEUTSCH

Am besten genießt man Sushi unter den Augen des Kochs in einer echten **Sushi-ya**. Manche haben weniger als ein Dutzend Plätze, daher empfiehlt es sich, für die Hauptzeiten Plätze zu reservieren. Das Personal bringt Sie zu Ihrem Sitz, gibt Ihnen ein dampfendes Handtuch für die Hände, nimmt die Getränkebestellungen entgegen und stellt die im Preis inbegriffenen **O-tōshi** vor Sie hin. Wenn Sie an der Theke sitzen, können Sie Ihr Sushi Stück für Stück beim Koch bestellen. Sitzen Sie an einem Tisch, ist es oft einfacher, nach den Tagesangeboten zu fragen: **Toku-jō**, **Jō** oder **Nami** (versch. Preise). In einem Kaiten-zushi bedienen Sie sich selbst vom Fließband.

ITALIANO

Il modo migliore per gustare il sushi è sotto l'occhio vigile dello chef, in un vero **sushi-ya**. Alcuni non possono accogliere più di dodici persone, quindi è meglio prenotare per gli orari di punta. Il personale vi farà sedere, vi offrirà un tovagliolo caldo per pulirvi le mani, prenderà il vostro ordine per qualcosa da bere e vi offrirà l'**o-tōshi** con i complimenti della casa. Se siete seduti al bancone potrete ordinare pezzo per pezzo il vostro sushi, direttamente dallo chef. Stando ad un tavolo è forse più facile chiedere al personale di portare un menù – **toku-jō**, **jō**, o **nami** – ed in un kaiten-zushi vi potete servire direttamente dal nastro trasportavivande.

ESPAÑOL

El mejor lugar para saborear el sushi es un auténtico **sushi-ya**, bajo la supervisión del chef. Algunos tienen menos de doce asientos, así que haga una reserva para las horas de más concurrencia. El camarero le acomodará, le ofrecerá una toallita caliente para las manos, tomará nota de las bebidas y le obsequiará con un **o-tōshi**. Si se sienta a la barra puede pedirle al chef piezas de sushi una por una. En la mesa quizá sea más fácil pedir al camarero un menú de precio fijo – **toku-jō**, **jō** o **nami** – y en un kaiten-zushi usted mismo coje lo que quiere de una cinta transportadora.

PORTUGUÊS

O melhor local para se apreciar sushi é mesmo ao pé do chefe de cozinha, num verdadeiro **sushi-ya**. Alguns têm pouco mais do que uma dúzia de lugares, por isso será melhor reservar em alturas de maior movimento. Os empregados de mesa indicam-lhe um lugar e dão-lhe uma toalha quente para as mãos. Em seguida, perguntam-lhe o que deseja beber e oferecem-lhe uns **o-tōshi**. Se sentar em uma mesa junto ao bar poderá pedir diretamente ao chefe o sushi um por um. Numa das mesas poderá ser mais fácil pedir ao empregado uma dose fixa – **toku-jō**, **jō** ou **nami** – e num kaiten-zushi poderá servir-se a si próprio do buffet rolante.

En How to order
F Comment commander
D Bestellung
I Come ordinare
Es Como pedir su comida
P Como fazer o pedido

注文

ENGLISH

From the moment you enter the bar, you are the guest of the chef and he will take pride in helping you. Ask him, "Kyo wa nani ga osusume, desu ka?"– "What is good today?" Or let him choose, according to your budget: "¥3000 no omakase de!" To say just, "Omakase," without a total is dangerous! Prices given are per serving (usually two pieces, depending on size) or per set, and may not include tax. A traditional chef will keep your bill in his head, but in a kaiten-zushi the plates are cunningly coded by design or colour to tell him what you've eaten.

FRANÇAIS

Quand vous entrez dans un bar à sushi, vous êtes les invités du chef qui met sa fierté à vous satisfaire. Demandez-lui: "Kyo wa nani ga osusumé, désu ka?" – "Quelles sont les spécialités du jour?", ou laissez-le composer votre menu suivant votre budget: "¥3000 no omakasé dé !". Attention à ne pas dire uniquement, "Omakasé," sans préciser le total ! Les prix s'entendent par portion (deux pièces en général, suivant la grosseur) ou par assortiment et ne comprennent pas toujours la TVA. Un chef traditionnel fait votre addition de tête, alors que dans un kaiten-zushi, ce sont les assiettes codées par couleur ou par forme qui indiquent ce que vous avez mangé.

DEUTSCH

Sobald Sie die Bar betreten, sind Sie Gast des Kochs, der Ihnen gerne bei der Auswahl hilft. Fragen Sie ihn, "Kyo wa nani ga osusume, desu ka?" – "Was können Sie heute empfehlen?" Oder geben Sie ihm einen Preis vor und lassen Sie ihn danach auswählen: "¥3000 no omakase de!" Einfach, "Omakase," zu sagen, ohne gleichzeitig eine Summe zu nennen, kann teuer werden! Die Preise verstehen sich pro Portion (meist zwei Stück, je nach der Größe) oder pro Arrangement. Steuer ist u.U. noch nicht dabei. Ein traditioneller Koch hat Ihre Rechnung im Kopf; im Kaiten-zushi sind die Teller raffiniert nach Form und Farbe codiert, damit er weiß, was Sie verzehrt haben.

ITALIANO

Dal momento in cui entrate nel bar dovete considerarvi ospiti dello chef che sarà orgoglioso di potervi accontentare. Domandategli: "Kyo wa nani ga osusume, desu ka?" – "Che cosa c'è di buono oggi?" Oppure fate scegliere a lui a seconda di quanto volete spendere: "¥3000 no omakase de!" perchè dire soltanto, "Omakase," senza un totale, è molto pericoloso! I prezzi sono per ogni portata (di solito due pezzi, a seconda della grandezza) o per menù e talvolta non includono le tasse. Uno chef in un bar tradizionale si ricorderà quanto avete speso mentre in un kaiten-zushi i piatti hanno un codice basato sul disegno o sul colore per dirgli che cosa avete mangiato.

ESPAÑOL

A partir del momento en que usted entra al bar, se convierte en el invitado del chef y él estará orgulloso de ayudarle. Pregúntele: "Kyo wa nani ga osusume, desu ka?" – "¿Qué recomienda hoy?" o déjele escoger a él sin que se exceda del presupuesto que usted tenga: "i3000 yenes no omakase de!". Decir sólo: "Omakase," sin un total, ¡es peligroso! Los precios son por porción (normalmente dos piezas, según el tamaño) o por menú y puede que no incluyan el impuesto. Un chef tradicional llevará la cuenta de memoria, pero en un kaiten-zushi los platos traen un código con un dibujo ingenioso o un color que indica al chef lo que se ha consumido.

PORTUGUÊS

A partir do momento em que entra no bar passa a ser um convidado do chefe de cozinha e ele terá todo o gosto em ajudá-lo. Pergunte-lhe, "Kyo wa nani ga osusume, desu ka?" – "O que é que recomenda hoje?" Ou, então, deixe-o ser ele a escolher, de acordo com o seu orçamento: "¥3000 no omakase de !" Dizer apenas, "Omakase," sem uma quantia total é perigoso! Os preços são estabelecidos por porção (normalmente dois bocados, consoante o tamanho) ou por dose, e podem não incluir imposto. Um chefe tradicional saberá a sua conta de cor, mas num kaiten-zushi os pratos estão astuciosamente codificados através de desenhos ou cores para lhe lembrar o que o cliente comeu.

- **En** Choosing a meal
- **F** Choisir son menu
- **D** Menüzusammenstellung
- **I** Scegliere i piatti
- **Es** Cómo escoger una comida
- **P** A escolha da refeição

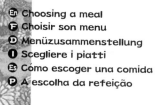

大トロ　雲丹　赤貝　甘海老　ひらめ　すずき　いくら　まぐろ　たい　しゃけ　とりがい　いか　とびこ　えび　鉄火巻　〆鯵　たまご

ENGLISH

There are no rules for eating sushi, but to appreciate the subtle flavours it is best to start with light, white fish and move onto the rich, fatty fish – and always take the chef's advice as to which fish are plump and in season. Because sushi can be made with anything, vegetarian sushi has always existed, and if you have a restricted diet just tell the chef what you cannot eat. To finish the meal sweet **tamago-yaki** is often eaten, with or without rice, like a dessert.

FRANÇAIS

Il n'y a pas de règle, mais pour apprécier la subtilité des saveurs des sushi, les connaisseurs commencent par les poissons maigres à chair blanche suivis des poissons plus gras – demandez conseil au chef dont le choix tiendra également compte de la saison. Les sushi pouvant se composer de n'importe quel ingrédient, il y a toujours des sushi végétariens en plus ou moins grand nombre. Et si vous suivez un régime alimentaire strict, dites au chef ce que vous ne mangez pas. Le repas pourra se conclure par un **tamago-yaki**, avec ou sans riz.

DEUTSCH

Es gibt keine festen Regeln für Sushi. Um die subtilen Geschmacksnuancen besser zu genießen, fangen Sie am besten mit leichtem, weißen Fisch an und gehen dann auf üppigeren, öligen Fisch über. Lassen Sie sich immer vom Koch beraten, welche Fische gerade Saison und ein gutes Gewicht haben. Sushi wird mit vielen verschiedenen Zutaten gemacht, auch die vegetarische Form hat Tradition. Wenn Sie bestimmte Lebensmittel meiden, sagen Sie dies einfach dem Koch und er richtet sich danach. Oft ißt man zum Abschluß der Mahlzeit süßes **Tamago-yaki**, mit oder ohne Reis, wie ein Dessert.

ITALIANO

Non ci sono regole quando si mangia sushi, ma per apprezzare le sottigliezze dei diversi gusti è bene cominciare con pesce leggero e dalle carni bianche per poi continuare con pesce più ricco e grasso – ed è bene anche seguire i consigli dello chef che vi dirà quali pesci sono belli e di stagione. Poiché il sushi può essere fatto con qualsiasi cosa, il sushi vegetariano è sempre esistito e se avete una dieta specifica basta che diciate allo chef quello che non potete mangiare. Per finire si mangia spesso il **tamago-yaki** dolce, con o senza riso, come un dessert.

ESPAÑOL

No existen normas para comer el sushi, pero para apreciar los sutiles sabores empiece por el pescado blanco más ligero y pase luego al pescado más graso – y siempre siga los consejos del chef sobre qué pescados son grasos y de temporada. Como el sushi puede prepararse con cualquier ingrediente, el sushi vegetariano siempre ha existido, y si usted tiene que seguir un régimen estricto, dígale al chef lo que no puede comer. Para finalizar la comida, como postre, se suele comer **tamago-yaki**, con o sin arroz.

PORTUGUÊS

Não há regras para se comer sushi, mas para se apreciar os seus sabores delicados, comece pelo peixe branco e leve e passe, de seguida, para o peixe mais rico e gordo – aceite sempre as sugestões do chefe relativamente ao peixe da época e ao mais carnudo. Como o sushi pode ser feito com qualquer ingrediente, existiu sempre sushi vegetariano e se tiver uma dieta especial é só dizer ao chefe de cozinha aquilo que não pode comer. Para terminar a refeição, come-se muitas vezes **tamago-yaki**, com ou sem arroz, como sobremesa.

- **En** Eating sushi
- **F** Les bonnes manières
- **D** Wie man Sushi ißt
- **I** Mangiare il sushi
- **Es** Cómo comer el sushi
- **P** Comer sushi

食べ方

ENGLISH

Chopsticks are usually provided, but nigiri-zushi is said to taste better eaten by hand. Pour out a little soy sauce, dip the **neta** (topping) carefully in the soy – with a finger to stop neta parting company from rice – and eat without putting down. Sashimi needs chopsticks, and you can add fiery green wasabi to the soy sauce or directly to the fish. For nigiri-zushi the chef has already dabbed wasabi under the neta, and although some diners do add more to their soy, to do so or to drown the chef's creation in the sauce is to lose his respect.

FRANÇAIS

On vous donne généralement des baguettes, mais les nigiri-zushi mangés avec les doigts ont meilleur goût, dit-on. Versez un peu de sauce soja, prenez votre sushi des doigts, trempez le **neta** (la garniture) dans la sauce – en maintenant d'un doigt le neta sur le riz – et mangez le sushi sans le reposer. Vous vous servirez des baguettes pour les sashimi, que vous pouvez épicer d'un peu de wasabi ajouté à la sauce ou sur le poisson. Dans les nigiri-zushi, le chef a déjà mis du wasabi. N'en ajoutez pas et ne noyez pas non plus votre sushi de sauce soja sous peine de vous attirer les foudres du chef.

DEUTSCH

Meist werden Stäbchen gereicht, doch sagt man, daß Nigiri-zushi besser schmeckt, wenn man es mit der Hand ißt. Gießen Sie ein bißchen Sojasoße auf den Teller, tunken Sie das **Neta** (den Belag) vorsichtig in die Soße, wobei Sie es mit dem Finger festhalten sollten, damit es nicht vom Reis fällt, und führen Sie es ohne abzusetzen zum Mund. Für Sashimi braucht man Stäbchen, und Sie können scharfe, grüne Wasabi in die Sojasoße oder direkt auf den Fisch geben. Beim Nigiri-zushi fügt der Koch das Wasabi hinzu. Wer mehr davon drauf tut oder die Kreation in Sojasoße ertränkt, verliert den Respekt des Kochs.

ITALIANO

Di solito vengono forniti bastoncini ma si dice che il nigiri-zushi abbia più sapore se mangiato con le mani. Versate un po' di salsa di soia, inzuppate con attenzione la **neta** (guarnizione) nella salsa – tenendola ferma con un dito per evitare che si separi dal riso – e mangiatela direttamente senza posarla. Per il sashimi sono necessari i bastoncini e potete aggiungere il piccantissimo wasabi verde sia alla salsa di soia che direttamente sul pesce. Se mangiate nigiri-zushi il wasabi è stato già aggiunto dallo chef e aggiungerne ancora o affogare la sua creazione nella salsa di soia significherebbe perdere il rispetto dello chef.

ESPAÑOL

Normalmente se proporcionan los palillos, pero se dice que el nigri-zushi sabe mejor si se come con la mano. Vierta un poco de salsa de soja, moje en ella el trozo de **"neta"** cuidadosamente – con un dedo para que no se separe del arroz – y cómalo directamente. Para el sashimi se necesitan los palillos, si lo desea, puede disolver wasabi picante verde en la salsa de soja o ponerlo directamente en el pescado. En el nigri-zushi el chef ya ha agregado el wasabi así que añadir más o ahogar su creación con salsa de soja es como perderle el respeto.

PORTUGUÊS

Normalmente são fornecidos pauzinhos, mas diz-se que o nigiri-zushi sabe melhor se for comido à mão. Sirva-se de um pouco de molho de soja, molhe cuidadosamente a **neta** (cobertura) na soja – segurando com um dedo para impedir que a neta se separe do arroz – e coma sem voltar a pousar. O sashami requer pauzinhos e poderá ainda acrescentar wasabi verde ao molho de soja ou deitar directamente no peixe. O nigiri-zushi já tem wasabi adicionado pelo chefe, pelo que acrescentar mais ou ensopar a sua 'obra de arte' em molho de soja implica perder o seu respeito.

飲
物

ENGLISH

The classic drink with sushi is **nihon-cha** (green tea), which is usually complimentary. Like the wafer-thin orange or pink shreds of **gari** (pickled ginger), it serves to refresh the palate between flavours. Other alternatives are beer, and sake drunk hot or slightly chilled. Sushi bars also serve **o-suimono** and **miso-shiru** (soups), to be slurped from the bowl between sushi pieces. Fish and kelp stock is traditional, but the elegant o-suimono may contain wheat gluten and occasionally chicken stock.

FRANÇAIS

Les sushi s'accompagnent normalement de **nihon-cha** (thé vert), qui est généralement gratuit. Le thé, de même que les copeaux oranges ou roses du **gari** (gingembre mariné), rafraîchit le palais entre les différentes saveurs. Mais on peut boire aussi de la bière ou du saké, chaud ou frais. Les bars à sushi servent également du consommé (**o-suimono**) ou de la soupe (**miso-shiru**) dont on boit des gorgées au bol entre les morceaux de sushi. Le bouillon de base traditionnel est au poisson ou au varech, mais le raffiné o-suimono peut contenir du gluten de blé et parfois du bouillon de poulet.

DEUTSCH

Das klassische Getränk zu Sushi ist **Nihon-cha** (grüner Tee) und ist meist im Preis enthalten. Wie die hauchdünnen, rosa und orangefarbenen **Gari**-Scheibchen (eingelegter Ingwer) dient er dazu, den Gaumen zwischen den Gängen zu erfrischen. Außerdem bieten sich Bier und Sake an, der heiß oder leicht gekühlt getrunken wird. Sushi Bars servieren auch **O-suimono** und **Miso-shiru**, die zum Sushi aus Schüsselchen geschlürft werden. Traditionell sind Fisch- und Seetangbrühe, doch enthält die elegante O-suimono manchmal auch Weizengluten und Hühnerbrühe.

ITALIANO

La bevanda classicamente bevuta con il sushi è il **nihon-cha** (tè verde) che di solito è gratuito. Come le listelle aranciони o rosa di **gari** (zenzero sottaceto), serve anch'esso a rinfrescare il palato fra un sapore e l'altro. Alternativamente si può bere birra o sake, caldo o leggermente fresco. I sushi bar servono anche **o-suimono** e **miso-shiru** da succhiare dalla tazza fra bocconi di sushi. Tradizionalmente viene usato brodo di pesce o di alghe, ma l'elegante o-suimono può anche contenere glutine di grano e talvolta brodo di pollo.

ESPAÑOL

La bebida por excelencia que acompaña al sushi es el **nihon-cha** (té verde), normalmente ya incluída, que, al igual que las láminas naranjas o rosas de **gari** (jengibre macerado), sirve para refrescar el paladar entre sabores. Otras opciones son la cerveza o el sake, que puede beberse caliente o ligeramente frío. En los sushi-bares también se sirven sopas, **o-suimono** y **miso-shiru**, que se sorben sorbiendo el cuenco y sirven de acompañamiento para el sushi. La más típica es la de caldo de pescado con kelp, pero es posible que el o-suimono contenga gluten de trigo o que ocasionalmente esté hecha a base de caldo de pollo.

PORTUGUÊS

A bebida clássica para acompanhar sushi é **nihon-cha** (chá verde), que é normalmente oferecido. Tal como as tiras muito finas cor de laranja ou rosa de **gari** (gengibre conservado em vinagre, tipo pickles), serve para refrescar o palato entre os vários sabores. Há outras alternativas como a cerveja, saké bebida quente ou ligeiramente fresca. Os bares de sushi também servem **o-suimono** e **miso-shiru**, que se devem beber directamente da tigela, entre os bocados de sushi. Tradicionalmente, contêm caldo de peixe e algas, mas a elegante o-suimono, poderá conter ainda glúten de trigo e, esporadicamente, caldo de galinha.

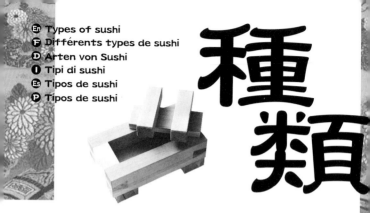

種類

ENGLISH

Sushi varies according to region. Nigiri-zushi is also known as **edomae-zushi**, from Edo or old Tokyo, while Osaka is the home of **oshi-zushi**: seafood and rice pressed in wooden moulds. Also from Osaka and Kyoto comes **bo-zushi**: rice wrapped in fish, often mackerel or carp. **Sugata-zushi** consists of a fish stuffed with rice and served complete with head and tail. Specialities have also appeared outside Japan, like **california-maki: nori**, avocado and crab or fishcake rolled inside the rice, which is sometimes coated with bright orange **tobiko**.

FRANÇAIS

Les nigiri-zushi s'appellent aussi **edomé-zushi**, d'Edo, l'ancien nom de Tokyo. Les **oshi-zushi** (bouchées de riz et fruits de mer, pressées dans des moules en bois) viennent d'Osaka. Les **bo-zushi** (riz enveloppé de poisson, généralement du maquereau ou de la carpe) viennent d'Osaka et de Kyoto. Les **sugata-zushi** sont du poisson farci de riz, servi avec la tête et la queue. On trouve également des spécialités nées hors du Japon, telles que le **california-maki**: rouleaux de **nori**, d'avocat et de crabe ou de croquette de poisson, parfois enrobés de **tobiko** orange vif.

DEUTSCH

Nigiri-zushi wird auch **Edomae-zushi** genannt, nach Edo, dem Namen für Alt-Tokio. Aus Osaka kommt **Oshi-zushi**, Meeresfrüchte und Reis, in hölzerne Formen gepreßt. Ebenfalls aus Osaka und aus Kyoto stammt **Bo-zushi**, in Fisch (meist Makrele oder Karpfen) gewickelter Reis. **Sugata-zushi** besteht aus einem ganzen Fisch mit Kopf und Schwanz, der mit Reis gefüllt ist. Auch außerhalb von Japan wurden Spezialitäten entwickelt. Das **California-maki** besteht aus **Nori**, Avocado und Krebsfleisch oder Fischlaibchen, die manchmal mit leuchtend orangefarbenem **Tobiko** umwickelt werden.

ITALIANO

Il nigiri-zushi viene anche chiamato **edomae-zushi**, da Edo o la vecchia Tokyo, mentre Osaka è la patria dell'**oshi-zushi**: frutti di mare e riso compressi in formine di legno. Sempre da Osaka e Kyoto viene il **bo-zushi**: involtini di riso ricoperto di pesce, spesso macarello o carpa. Il **sugata-zushi** consiste di pesce ripieno con riso e servito intero, con capo e coda. Specialità sono anche apparse fuori dal Giappone, come per esempio il **california-maki**: nori, avocado e granchio o crocchette di pesce, talvolta ricoperti passandoli nell'arancione **tobiko**.

ESPAÑOL

El nigiri-zushi también se denomina **edomae-zushi**, de Edo o el antiguo Tokyo, mientras que Osaka es el hogar del **oshi-zushi**: pescado y arroz prensados en moldes de madera. También originario de Osaka y Kyoto es el **bo-zushi**: arroz envuelto en pescado, a menudo caballa o carpa. El **sugata-zushi** es un pescado relleno de arroz que se sirve entero con cabeza y cola. También han surgido especialidades fuera de Japón como el **california-maki**: nori, aguacate y cangrejo o croqueta de pescado, a veces arrollado en **tobiko** de color naranja vivo.

PORTUGUÊS

O nigiri-zushi é também designado por **edomae-zushi**, de Edo ou da antiga Tóquio, enquanto que Osaka é a região do **oshi-zushi**: marisco e arroz comprimido dentro de formas de madeira. Também de Osaka e de Kyoto é o **bo-zushi**: arroz envolto em peixe, muitas vezes sarda ou carpa. O **sugata-zushi** consiste em peixe recheado com arroz e servido inteiro com cabeça e rabo. Surgiram também especialidades fora do Japão, como o **california-maki**: nori, abacate e caranguejo ou bolinho de peixe, enrolado em arroz por vezes coberto em **tobiko** cor de laranja forte.

En History
F Historique
D Geschichte
I Un po'di storia
Es Historia
P História

歷史

ENGLISH

Ironically, given sushi is now a symbol of freshness, it was originally a means to preserve food. Fish and rice were packed together and left for months while the fermenting rice pickled the fish. From the 17th century, vinegar was added to speed the process. The strong-tasting **nare-zushi** from Lake Biwa near Kyoto is still made in this way using carp, although it is an acquired taste and no longer popular. Modern nigiri-zushi was being made and sold at street stalls in Edo by the 19th century.

FRANÇAIS

Alors que le sushi est aujourd'hui symbole de fraîcheur, à l'origine c'était un moyen de conserver les aliments. On faisait macérer ensemble le poisson et le riz pendant plusieurs mois pour que le riz en fermentation marine le poisson. À partir du XVIIe siècle, on ajouta du vinaigre pour accélérer le processus. C'est toujours ainsi qu'on prépare le **naré-zushi** à la carpe du lac Biwa, près de Kyoto, mais sa saveur prononcée n'est pas au goût de tous et il ne figure plus aux menus. Les nigiri-zushi d'aujourd'hui se vendaient déjà dans les rues d'Edo au XIXe siècle.

DEUTSCH

Sushi, das heute für Frische steht, war ursprünglich eine Methode zur Haltbarmachung. Fisch und Reis wurden dicht zusammengepackt und monatelang aufbewahrt. In dieser Zeit konservierte der gärende Reis den Fisch. Ab dem 17. Jahrhundert wurde zur Beschleunigung des Vorgangs Essig hinzugefügt. Das intensive **Nare-zushi** vom Biwa See in der Nähe von Kyoto wird heute noch auf diese Weise mit Karpfen hergestellt, ist jedoch gewöhnungsbedürftig und nicht mehr sehr beliebt. Das neuere Nigiri-zushi wird seit dem 19. Jahrhundert an Straßenständen in Edo angeboten.

ITALIANO

Sembra quasi un paradosso, visto che sushi ormai è divenuto un simbolo di freschezza, ma originariamente era un modo di conservare il cibo. Il pesce ed il riso venivano pressati insieme e lasciati per mesi così che il riso, fermentando, conservasse in salamoia il pesce. Dal 17esimo secolo venne aggiunto l'aceto per accelerare questo processo. Il **nare-zushi**, dal sapore forte, proveniente dal lago Biwa vicino a Kyoto, è fatto in questo modo usando la carpa, anche se è ormai un gusto ricercato e non più popolare. Il nigiri-zushi moderno era già venduto in bancarelle sulle strade di Edo nel 19esimo secolo.

ESPAÑOL

Es curioso que ahora el sushi sea un símbolo de frescura, pues originalmente era un método para conservar la comida. El pescado y el arroz se almacenaban juntos durante meses para que el arroz, al fermentar, conservara el pescado. A partir del siglo XVII se añadió vinagre para acelerar el proceso. El **nare-zushi** del lago Biwa, cerca de Kyoto, todavía se elabora con carpa utilizando este mismo método. Tiene un sabor muy fuerte y aunque dicen que hay que ir tomándole el gusto con el tiempo, actualmente es muy apreciado. El nigiri-zushi como se conoce ahora ya se vendía en tenderetes en las calles de Edo en el siglo XIX.

PORTUGUÊS

Curiosamente, sendo hoje em dia um símbolo de frescura, o sushi começou por ser uma forma de conservar alimentos. O peixe e o arroz eram embalados juntos e assim ficavam durante meses enquanto o arroz fermentava conservando o peixe. A partir do século XVII, começou-se a adicionar vinagre para acelerar o processo. O **nare-zushi** de sabor forte, oriundo do Lago Biwa perto de Kyoto ainda é feito desta forma, utilizando a carpa, embora seja um gosto peculiar que já não é popular. O nigiri-zushi moderno começou a ser vendido em barracas de rua em Edo a partir do século XIX.

- En The sushi chef
- F Le chef de sushi
- D Der Sushi-Koch
- I Lo chef sushi
- Es El chef de sushi
- P O cozinheiro de sushi

板前

ENGLISH

To become a sushi **shoku-nin** (technician) or **itamae** (chef – literally "with a chopping board in front") takes years of apprenticeship, and a commitment to perfection. The itamae hurls sushi slang at his assistants (**murasaki** for soy sauce, **'sabi** for wasabi) while bantering about his finds at the fish market that morning. Hospitality and fierceness are both part of the tradition and you will earn his respect – and an excellent meal – by following his advice. Little snacks and extras may appear for his favourite customers.

FRANÇAIS

On ne devient **shoku-nin** ou **itamaé** (technicien ou chef) de sushi qu'au bout de nombreuses années d'apprentissage et de perfectionnement. Le chef jette ses ordres à ses assistants dans une langue d'argot sushi (**murasaki** pour sauce soja, ou **'sabi** pour wasabi) tout en plaisantant sur ses trouvailles du matin au marché aux poissons. L'hospitalité doublée de véhémence du chef est une tradition et vous gagnerez sa bienveillance – ainsi qu'un excellent repas – en suivant ses conseils. Ses clients favoris se voient parfois offrir amuse-gueules ou petits suppléments imprévus.

DEUTSCH

Es braucht jahrelange Ausbildung und einen Hang zur Perfektion, um ein Sushi **Shoku-nin** (Techniker) oder ein **Itamae** (Koch, wörtlich "hinter dem Hackbrett") zu werden. Der Itamae wirft mit Sushi-Jargon um sich, den seine Assistenten verstehen müssen (**murasaki** für Sojasoße, **'sabi** für Wasabi), und prahlt gleichzeitig, welche Köstlichkeiten er morgens auf dem Fischmarkt sichern konnte. Gastfreundschaft und Temperament gehören zur Tradition. Wenn Sie den Rat des Kochs befolgen, respektiert er Sie und versorgt Sie mit ausgezeichneten Speisen. Für seine Lieblingskunden hat er manchmal kleine Snacks und Extras bereit.

ITALIANO

Per diventare un **shoku-nin** (tecnico) del sushi o un **itamae** (chef, alla lettera "con il tagliere davanti") ci vogliono anni di apprendistato e impegno per raggiungere la perfezione. L'itamae dà gli ordini ai suoi assistenti in dialetto sushi (**murasaki** per salsa di soia, **'sabi** invece di wasabi) mentre fa battute su quello che ha trovato quella mattina al mercato del pesce. Sia ospitalità che durezza sono parte della tradizione e vi meriterete il rispetto dello chef – e pertanto anche un ottimo pasto – se seguirete i suoi consigli. Piccoli bocconcini ed altri extra possono anche apparire davanti ai suoi clienti preferiti.

ESPAÑOL

Para convertirse en sushi **shoku-nin** (técnico) o **itamae** (chef – literalmente "con tabla de picar en frente") son necesarios años de aprendizaje así como una obligación por el perfeccionismo. El itamae imparte jerga de sushi a sus ayudantes (**murasaki** por salsa de soja, **'sabi** por wasabi) mientras bromea con la compra de pescado que ha hecho esa mañana en el mercado. Tanto la hospitalidad como la intensidad forman parte de la tradición y usted se ganará el respeto de aquél – y una excelente comida – si sigue sus consejos. Puede que obsequie a sus clientes favoritos con tapitas y algunos extras.

PORTUGUÊS

Tornar-se um sushi **shoku-nin** (técnico) ou **itamae** (chefe – à letra, "atrás da tábua de cortar alimentos") requer vários anos de aprendizagem e um compromisso com a perfeição. O itamae utiliza gíria para se dirigir entusiasmado aos seus ajudantes (**murasaki** para molho de soja, **'sabi** para wasabi) enquanto troça dos seus achados no mercado de peixe que visitou pela manhã. A hospitalidade e a impetuosidade fazem ambas parte da tradição e conquistará certamente o seu respeito – e uma refeição excelente – se seguir as suas sugestões. É possível que apareçam petiscos e alguns extras para os seus clientes favoritos.

En Health
F Santé
D Gesundheit
I Salute
Es Salud
P Saúde

健康

ENGLISH

Like most seafood, sushi is very high in vitamins and low in saturated fats. Even fatty fish have fewer calories per gram than chicken, and may actually help reduce cholesterol, so the traditional Japanese diet is associated with very low rates of heart disease. Nature's little secrets are also used to ensure that the raw fish is safe to eat. Sushi is prepared according to the needs of each species, and wasabi, vinegar and the bamboo leaf decorations are all natural antiseptics. So no excuses – get out there and enjoy sushi!

FRANÇAIS

Comme la plupart des poissons et fruits de mer, les sushi ont une teneur élevée en vitamines et faible en acides gras saturés. Même les poissons gras sont moins caloriques à part égale que le poulet et peuvent contribuer à réduire les taux de cholestérol. C'est grâce à leur régime alimentaire que les Japonais ont un très faible taux de maladies coronariennes. À la rigoureuse fraîcheur des ingrédients s'ajoutent les petits secrets de la nature qui n'ont pas qu'une fonction décorative ou gustative: le wasabi, le vinaigre ou les décorations en feuilles de bambou ont des propriétés antiseptiques naturelles. Une bonne raison de plus de déguster et d'apprécier les sushi !

DEUTSCH

Wie die meisten Lebensmittel aus dem Meer ist Sushi reich an Vitaminen und enthält wenig gesättigte Fettsäuren. Selbst ölige Fische haben weniger Kalorien pro Gramm als Huhn und können dazu beitragen, den Cholesterinspiegel zu senken. Die herkömmliche japanische Ernährung geht einher mit sehr niedrigen Raten an Herzkrankheiten. Die geheimnisvollen Kräfte der Natur werden auch dazu eingesetzt, den rohen Fisch bekömmlich zu machen. Sushi wird artengerecht zubereitet, und Wasabi, Essig und die zur Dekoration verwendeten Bambusblätter sind natürliche Keimtöter. Also, zögern Sie nicht – probieren Sie und genießen Sie Sushi!

ITALIANO

Come la maggior parte del cibo a base di pesce, il sushi ha un alto contenuto di vitamine ed un basso contenuto di grassi saturi. Anche i pesci cosiddetti grassi hanno meno calorie del pollo per grammi e possono perfino aiutare a ridurre il colesterolo, cosicchè è facile capire perchè la dieta giapponese sia associata con un basso tasso di malattie di cuore. Piccoli segreti naturali vengono usati per assicurare che il pesce crudo sia sicuro da mangiare. Il sushi è preparato secondo le necessità di ogni specie e il wasabi, l'aceto e le decorazioni di foglie di bambù sono tutti antisettici naturali. Insomma, niente scuse: andate e gustatevi il sushi!

ESPAÑOL

Como la mayoría de de los frutos de mar, el sushi es de alto contenido vitamínico y bajo en grasas saturadas. El pescado graso, que tiene menos calorías por gramo que el pollo, puede incluso ayudar a reducir el colesterol. Por eso, la dieta tradicional japonesa está relacionada con un índice muy bajo de enfermedades cardíacas. Los secretos de la naturaleza también se utilizan para garantizar que el pescado crudo pueda comerse con tranquilidad; el sushi se prepara según las necesidades de cada especie y tanto el wasabi, el vinagre, como los adornos de hojas de bambú son antisépticos naturales. O sea que no valen las excusas – Anímese a disfrutar del sushi.

PORTUGUÊS

Tal como a maioria dos frutos do mar, o sushi é muito rico em vitaminas e pobre em gorduras saturadas. Mesmo os peixes mais gordos têm menos calorias por grama do que o frango, e podem realmente ajudar a reduzir o colesterol. Assim, a cozinha tradicional japonesa está associada com os baixos índices de doenças cardíacas. Também se usam os pequenos truques da natureza para se ter a certeza de que o peixe cru se pode consumir com segurança. O sushi é preparado de acordo com as necessidades de cada espécie: o wasabi, o vinagre e as folhas de bambu utilizadas para decorar os pratos, são todos anti-sépticos naturais. Por isso não há desculpas – venha daí apreciar um sushi.

- **En** Chopsticks
- **F** Les baguettes
- **D** Eßstäbchen
- **I** Bastoncini
- **Es** Palillos
- **P** Pauzinhos

箸

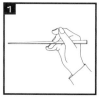
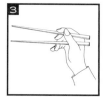

会話と言葉

KAIWA TO KOTOBA

En Sushi language

F Les mots du sushi

D Die Sprache des Sushi

I Il linguaggio del sushi

Es El lenguaje del sushi

P A linguagem do sushi

En Useful phrases
F Phrases utiles
D Nützliche Redewendungen
I Frasi utili
Es Expresiones útiles
P Frases úteis

会話

♪ Oishii sushi-ya o gozonji desu ka? **おいしい寿司屋をご存じですか？**

En Can you recommend a good sushi bar?
F Pouvez-vous me recommander un bon bar à sushi ?
D Können Sie eine gute Sushi Bar empfehlen?
I Mi può consigliare un buon ristorante sushi?
Es ¿Me puede recomendar un buen sushi-bar?
P Pode recomendar-me um bom bar de sushi?

♪ San(3)-nin suwaremasuka? **3人座れますか？**

En Can you seat three people?
F Avez-vous de la place pour trois personnes ?
D Haben Sie Plätze für drei Personen?
I C'é posto per tre?
Es ¿Hay sitio para tres personas?
P Há lugar para três pessoas?

♪ Dorekurai machimasuka?　どれくらい待ちますか？

- 🇬🇧 How long is the wait?
- 🇫🇷 Combien de temps faudra-t-il attendre ?
- 🇩🇪 Wie lange muß man warten?
- 🇮🇹 Quanto c'è da aspettare?
- 🇪🇸 ¿Cuánto tenemos que esperar?
- 🇵🇹 Quanto tempo vai demorar?

♪ Hachi(8)-ji ni san(3)-nin yoyaku dekimasu ka?　8時に3人予約できますか？

- 🇬🇧 Can I make a reservation for three people at 8pm?
- 🇫🇷 Je voudrais réserver pour trois personnes à 20 heures.
- 🇩🇪 Können Sie mir Plätze für drei Personen für 20 Uhr reservieren?
- 🇮🇹 Posso prenotare per tre persone per le otto (di sera)?
- 🇪🇸 ¿Puedo hacer una reserva para tres personas para las 8 de la noche?
- 🇵🇹 É possível fazer uma reserva para três pessoas para as 8 horas?

♪ Ni-sen-yen(¥2000) no omakase de.　2千円のおまかせで。

- 🇬🇧 I rely on you for a bill of ¥2000.
- 🇫🇷 Je m'en remets à vous pour une addition de 2000 yens.
- 🇩🇪 Ich verlasse mich auf Sie und möchte bis zu ¥2000 ausgeben.
- 🇮🇹 Mi affido a Lei per ¥2000.
- 🇪🇸 Confío en usted para que la cuenta no sobrepase los 2000 yenes
- 🇵🇹 Pretendo gastar ¥2000 (yens).

♪ Kyō wa nani ga osusume desu ka?　今日は何がおすすめですか？

- 🇬🇧 What is good today?
- 🇫🇷 Quelles sont les spécialités du jour ?
- 🇩🇪 Was können Sie heute empfehlen?
- 🇮🇹 Che cosa c'è di buono oggi?
- 🇪🇸 ¿Qué nos recomienda hoy?
- 🇵🇹 O que é que recomenda para hoje?

♪ Sumimasen! すみません！

En Excuse me! (for attention)

Fr S'il vous plaît ! (pour attirer l'attention)

De Entschuldigen Sie bitte! (um Aufmerksamkeit bitten)

It Scusi (per richiamare l'attenzione).

Es ¡Oiga! (para llamar la atención)

Pt Desculpe… / Por favor… (para chamar a atenção)

♪ Maguro / o-cha / mizu o kudasai. まぐろ／お茶／水 を下さい。

En I'd like **tuna / tea / water**, please.

Fr Je voudrais du **thon / du thé / de l'eau**, s'il vous plaît.

De Ich hätte gerne **Tunfisch / Tee / Wasser**, bitte.

It Vorrei del **tonno / del tè / dell'acqua** per favore.

Es ¿Me traería **atún / té / agua**, por favor?

Pt Queria **atum / chá / água**, por favor.

♪ Kai / o-fu / unagi wa tabemasen. 貝／おふ／うなぎは 食べません。

En I don't eat **shellfish / wheat gluten / eel**.

Fr Je ne mange pas de **crustacés / de gluten de blé / d'anguilles**.

De Ich esse keine **Schalentiere / kein Weizengluten / keinen Aal**.

It Non mangio **molluschi / glutine di grano / anguilla**.

Es No como **mariscos / gluten de trigo / anguila**.

Pt Não como **marisco de concha / glúten de trigo / enguias**.

♪ Watashi wa bejitarian desu. 私はベジタリアンです。

En I am vegetarian / vegan.

Fr Je suis végétarien / végétalien.

De Ich bin Vegetarier / Veganer.

It Sono vegetariano / vegano.

Es Soy vegetariano / vegano.

Pt Sou vegetariano.

♪ 'Sabi nuki de onegai shimasu.　さびぬきでお願いします。

- **En** Without wasabi, please.
- **F** Sans wasabi, s'il vous plaît.
- **D** Bitte ohne Wasabi.
- **I** Senza wasabi, per favore.
- **Es** Sin wasabi, por favor.
- **P** Sem wasabi, por favor.

♪ Gochisō-sama deshita!　ごちそう様でした！

- **En** I'm full! That was delicious! (to end meal)
- **F** Je suis rassasié. C'était délicieux. (pour indiquer la fin du repas)
- **D** Ich bin satt! Das war köstlich! (am Ende der Mahlzeit)
- **I** Sono pieno! È stato un pasto delizioso. (per finire)
- **Es** Estoy satisfecho. ¡Estaba riquísimo! (para terminar una comida)
- **P** Estou satisfeito! Estava delicioso! (para terminar a refeição)

♪ Tabako o sutte ī desuka?　タバコを吸っていいですか？

- **En** May I smoke?
- **F** Puis-je fumer ?
- **D** Darf ich rauchen?
- **I** Posso fumare?
- **Es** ¿Puedo fumar?
- **P** Posso fumar?

♪ Okanjō onegai shimasu.　お勘定お願いします。

- **En** May I have the bill please?
- **F** L'addition, s'il vous plaît.
- **D** Kann ich bitte die Rechnung haben?
- **I** Mi può portare il conto, per favore?
- **Es** ¿Me trae la cuenta, por favor?
- **P** A conta, por favor.

En Glossary
F Glossaire
D Glossar
I Glossario
Es Glosario
P Glossário

JAPANESE	ENGLISH	FRANÇAIS
agari	green tea (lit. finished)	thé vert (lit. fini)
aji	horse mackerel, scad	chinchard, saurel
akagai	ark shell	arche de Noé
ama-ebi	sweet prawn	crevette nordique
ana-kyū	conger eel + cucumber roll	rouleau au congre et au concombre
anago	conger eel	anguille de mer
ankimo	liver of monkfish, anglerfish	foie de lotte, baudroie
aoyagi	round clam, hen clam, quahog*	variété de clams
awabi	abalone	ormeau
bakagai	**aoyagi**	**aoyagi**
bara-zushi	chopped, cooked fish + vegetables on **shari**	émincé de poisson cuit et de légumes sur **shari**
bejitarian	vegetarian / vegan	végétarien / végétalien
bentō	boxed meal	repas en boîte parfois à emporter

言葉

DEUTSCH	ITALIANO	ESPAÑOL	PORTUGUÊS
grüner Tee (wörtl. fertig)	tè verde (lett. conclusivo)	té verde (lit. listo)	chá verde (lit. terminado)
Bastardmakrele	suro, sugarello	jurel, chicharros	cavala, chicharro
Archenmuschel	arca, la comune arca di Noè	Arca de Noé	arca de Noé, amêijoa
Nordmeergarnele	pandalo, gambero, code di granchio*	tipo de camarón	camarão
Rolle m. Congeraal + Gurke	involtino di gronco + cetriolo	rollito de congrio + pepino	crepe de congro + pepino
Congeraal	grongo, gronco, anguilla di mare	congrio	enguia do mar
Seeteufelleber	fegato di rana pescatrice o di budegassa	hígado de rape / angelote	fígado de tamboril
Trogmuschel	vongola rotonda	tipo de almeja redonda	amêijoa*, conquilha*, lambujinha*
Seeohr	orecchietta di mare	abulón*	haliote, madre pérola
Aoyagi	**aoyagi**	**aoyagi**	**aoyagi**
gehackter, gekochter Fisch + Gemüse auf **Shari**	**shari** coperto di pesce + verdura affettati e cotti	**shari** cubierto de trocitos de pescado + verduras cocidos	bocadinhos de peixe cozinhado + **shari** sobre legumes
Vegetarier / vegetarisch, Veganer / veganisch	vegetariano / vegano	vegetariano / vegano	vegetariano
Mahlzeit in unterteiltem Kästchen	pasto in una scatola	comida japonesa en caja	refeição em caixa

JAPANESE	ENGLISH	FRANÇAIS
bīru	beer	bière
california-maki	avocado + crab / fishcake roll	rouleau à l'avocat et au crabe / croquette de poisson
chirashi-zushi	raw seafood + vegetables on **shari**, in bowl	bol de fruits de mer crus et légumes sur **shari**
chū-toro	medium fat tuna belly	morceau moelleux du thon
daikon	white radish	radis japonais
denbu	processed prawn + white fish	pâte de crevette et poisson blanc
ebi	prawn	crevette
edomae-zushi	**nigiri-zushi**	**nigiri-zushi**
fu, -bu	wheat gluten	gluten de blé
funa	crucian carp	carpe
futo-maki	thick roll w. many ingredients	gros rouleau aux nombreux ingrédients
gari	pickled ginger	gingembre mariné
gohan	rice	riz

DEUTSCH	ITALIANO	ESPAÑOL	PORTUGUÊS
Bier	birra	cerveza	cerveja
Rolle m. Avocado + Krebsfleisch / Fischlaibchen	involtino avocado + granchio / crocchette di pesce	rollito de aguacate + cangrejo / croqueta de pescado	crepe de abacate + caranguejo / bolinho de peixe
Rohe Meeresfrüchte + Gemüse auf **Shari** im Schüsselchen	**shari** in tazza coperto di pesce crudo + verdure	bol de **shari** cubierto de frutos de mar + verduras crudos	marisco ou peixe cru + legumes com **shari**, em tigela
mittelfetter Tunfischbauch	pancia di tonno medio grassa	ventresca de atún parcialmente grasa	barriga de atum meio-gordo
weißer Rettich	ravanello bianco	rábano blanco	rabanete branco
aus Garnelenfleisch + weißem Fisch geformt	gamberetto + pesce bianco triturati	langostino + pescado blanco triturados	camarão + peixe branco processado
Königsgarnele	gamberetto	langostino	gamba
Nigiri-zushi	**nigiri-zushi**	**nigiri-zushi**	**nigiri-zushi**
Weizengluten	glutine di grano	gluten de trigo	glúten de trigo
Karausche	carassio dorato carpa d'oro	carasio, carpa dorada	carpa
Dicke Rolle m. vielen Zutaten	involto con molti ingredienti	rollo con muchos ingredientes	crepe espesso com muitos ingredientes
eingelegter Ingwer	zenzero sottaceto	jengibre macerado en vinagre	gengibre em vinagre (tipo pickle)
Reis	riso	arroz	arroz

JAPANESE	ENGLISH	FRANÇAIS
gomoku-zushi	chopped, cooked fish + vegetables mixed with **shari**	émincé de poisson cuit et légumes variés sur **shari**
gunkan-maki	**nigiri-zushi** with **nori** wrap	**nigiri-zushi** enveloppé de **nori**
hamachi	young yellowtail, amberjack	sériole
hamaguri	Venus clam	grosse palourde
hashi	chopsticks	baguettes
hikari-mono	any shiny oily fish (lit. shiny thing)	poissons gras (lit. objet luisant)
himo-kyū	ark shell + cucumber roll	rouleau à l'arche de Noé et au concombre
hirame	false halibut, brill*	fausse limande, barbue*
hotategai	scallop	coquille St-Jacques
ika	squid, cuttlefish*	encornet, seiche*
ikizukuri	alive until just before eating	vivant jusque dans l'assiette
ikura	salmon roe	œufs de saumon
inari-zushi	**shari** in fried tofu bags	bouchées de tofu farci de **shari**

DEUTSCH	ITALIANO	ESPAÑOL	PORTUGUÊS
gehackter, gekochter Fisch + Gemüse, m. **Shari** vermischt	**shari** unito a pesce + verdura affettati e cotti	trozos de pescado + verduras cocidos mezclados con **shari**	peixe cozinhado aos bocadinhos + legumes misturados com **shari**
Nigiri-zushi m. **Nori** umhüllt	**nigiri-zushi** arrotolato nel **nori**	**nigiri-zushi** envuelto en **nori**	**nigiri-zushi** envolto em **nori**
Jap. Seriola	ricciola, leccia	sorel*	linguadinho
Venusmuschel	vongola di Venere	tipo de almeja	amêijoa vénus
Eßstäbchen	bastoncini	palillos	pauzinhos
glänzende, ölige Fische (wörtl. glänzendes Ding)	pesce oleoso (lett. luccicante)	pescado brilloso (lit. cosa brillante)	peixe oleoso (lit. coisa brilhante)
Rolle aus Archenmuschel + Gurke	involtino arca + cetriolo	rollito de pepino + Arca de Noé	crepe de arca de Noé + pepino
Japanischer Heilbutt, Brill*	rombo*	rodaballo	solha*
Pilgermuschel	pettine	vieira	vieira
Kalmar	calamaro, totano	calamar*, sepia	lula, choco*
lebendig bis kurz vor dem Verzehr	vivo fino al momento di mangiarlo	vivo hasta justo antes de comer	vivo até à altura de comer
Lachsrogen	uova di salmone	huevas de salmón	ovas de salmão
Shari in gebrat. Tofutaschen	tofu fritto ripieno di **shari**	**shari** en bolsitas de tofu frito	**shari** em saquinhos de tofu frito

JAPANESE	ENGLISH	FRANÇAIS
iwashi	sardine	sardine
jō	medium price	prix moyen
kai, -gai	molluscs with hard shells	coquillages
kaibashira	muscle, any bivalve shellfish	coquillages bivalves
kaiten-zushi	automated sushi bar	bar à sushi self-service
kaiware	radish shoots, like mustard + cress	jets de radis (garniture)
kajiki	marlin, like tuna	marlin
kampyō	dried gourd, like marrow	courge séchée
kampyō-maki	**kampyō**-roll	rouleau au **kampyō**
kani	crab	crabe
kappa-maki	cucumber roll	rouleau au concombre
katsuo	bonito, skipjack	bonite
kazunoko	salted herring roe	œufs de hareng salés

DEUTSCH	ITALIANO	ESPAÑOL	PORTUGUÊS
Sardine	sardina	sardina	sardinha
Mittlerer Preis	prezzo modico	precio moderado	preço médio
Schalentier	mollusco	molusco	marisco de concha
Muskel, alle zweischaligen Schalenweichtiere	il muscolo del mollusco bivalve	músculo, cualquier molusco bivalvo	qualquer molusco bivalve (s/concha)
Automatisierte Sushi Bar	sushi bar automatico	sushi-bar automático	bar de sushi automático
Rettich rübentriebe, wie Kresse	butti di rafano + rape, come crescione	brotes de rabanitos, parecidos al berro	rebentos de rabanete
Marlin	pesce lancia, pesce spada*	pez aguja, pez espada*	espadim
getrockneter Kürbis	zucca di mare secca	tipo de calabaza seca	abóbora seca
Kampyōrolle	involtino di **kampyō**	rollito de **kampyō**	crepe de **kampyō**
Taschenkrebs	granchio	cangrejo	caranguejo
Gurkerolle	involtino di cetriolo	rollito de pepino	crepe de pepino
Pelamide, Bonito	pesce serra, sarda*	bonito	sarda, anchova*
Heringrogen	uova di aringa sotto sale	huevas de arenque en salazón	ovas de arenque salgadas

JAPANESE	ENGLISH	FRANÇAIS
kin-en	no smoking	il est interdit de fumer
kisu	Japanese whiting	merlan japonais
kohada	young spotted sardine, shad	sardine, alose
kuruma-ebi	species of prawn	variété de crevette
kyūri	cucumber	concombre
ma-	true / most typical species	préfixe signifiant "authentique"
maguro	tuna	thon
maki-zushi, -maki	rolled **nori** + **shari** + seafood / vegetables	rouleau de **nori** aux fruits de mer / légumes et **shari**
mirugai	gaper, horse clam*	mye
miso	fermented paste of soybean + grain	pâte de graines de soja fermentées
miso-shiru	**miso** soup	soupe au miso
momiji-oroshi	grated white radish + red chilli	radis japonais et piment rouge râpés
murasaki	soy sauce (lit. purple)	sauce soja (lit. pourpre)

DEUTSCH	ITALIANO	ESPAÑOL	PORTUGUÊS
Rauchen verboten	vietato fumare	no fumar	proibido fumar
Wittling	merlango*, muggine*	pescadilla	pescada japonesa
Gefleckte Sardine	spratto, sardina giovane	sábalo, arenque*	alosa, langarona
Garnelenart	specie di gambero	tipo de gamba	espécie de gamba
Gurke	cetriolo	pepino	pepino
echtes Exemplar e. Spezies	specie genuina	especies auténticas	espécie verdadeira
Tunfisch	tonno	atún	atum
Rolle aus **Nori** + **Shari** + Meeresfrüchte / Gemüse	**nori** + **shari** + pesce / verdura arrotolati	rollos de **nori** + **shari** + pescado / verduras	crepe de **nori** + **shari** + legumes / frutos do mar
Sandklaffmuschel	Tresus keenae, mollusco del cavallo	tipo de almeja	ameijola*
fermentierte Paste aus Soja + Cerealie	pasta di seme di soia + grano	pasta de germen de soja y grano fermentada	massa de soja + grão fermentada
Miso-Suppe	minestra di **miso**	sopa de **miso**	sopa **miso**
geriebener weißer Rettich und roter Chilli, z. Drauftun	ravanello bianco grattato + peperoncino rosso	rábano blanco y guindilla ralladas	rabanete branco e pimentão vermelho ralados
Sojasoße (wörtl. lila)	salsa di soia (lett. viola)	salsa de soja (lit. violeta)	molho de soja (lit. purpura)

JAPANESE	ENGLISH	FRANÇAIS
nakaochi	tuna meat next to bones	chair du thon près de l'arête
nama-	raw	cru
nami	basic price	prix de base
nattō	fermented soy beans	graines de soja fermentées
nattō-maki	**nattō** roll	rouleau au **nattō**
negi	spring onions, welsh onions	ciboules
negi-toro-maki	tuna + spring onion roll	rouleau au thon et aux ciboules
neta	topping for **nigiri-zushi**	garniture des **nigiri-zushi**
nigiri-zushi	**shari** + seafood / vegetable **neta**	**shari** garni de fruits de mer / légumes
nihon-cha	green tea	thé vert
niku	meat	viande
nomimono	drinks	boissons
nori	dried laver seaweed	algue marine séchée

DEUTSCH	ITALIANO	ESPAÑOL	PORTUGUÊS
Tunfischfleisch direkt a. d. Gräten	polpa di tonno vicino all'osso	carne de atún junto a la espina	carne do atum junto à espinha
roh	crudo	crudo	cru
Grundpreis	prezzo minimo	precio mínimo	preço base
vergorene Sojabohnen	semi di soia fermentati	semillas de soja fermentadas	soja fermentada
Nattōrolle	involtino di **nattō**	rollito de **nattō**	crepe de **nattō**
Frühlingszwiebel	cipolline	cebolletas	cebolinho
Rolle m. Tunfisch + Frühlingszwiebel	involtino tonno + cipollina	rollito de atún + cebolletas	crepe de atum + cebolinho
Belag für **Nigiri-zushi**	guarnizione per **nigiri-zushi**	trozos de verduras o pescado para colocar sobre el **nigiri-zushi**	cobertura para **nigiri-zushi**
Shari + Neta aus Meeresfrüchten / Gemüsen	**shari + neta** di pesce / verdura	**shari + neta** de pescado / marisco / verdura	**shari + neta** de frutos do mar / legumes
grüner Tee	tè verde	té verde	chá verde
Fleisch	carne	carne	carne
Getränke	bevande	bebidas	bebidas
getrockneter Laver Seetang	alga della porpora, seccata	alga marina seca	alga seca

JAPANESE	ENGLISH	FRANÇAIS
o-	polite prefix	préfixe de politesse
o-cha	tea	thé
o-suimono	clear soup	consommé
ō-toro	fatty tuna belly	morceau gras du thon
o-tōshi	hors d'oeuvre	hors-d'œuvre
o-tsukuri	platter of **sashimi**	plat de **sashimi**
o-zendate	place setting	à table
odori-gui	eating alive (lit. eat dancing)	mangé vivant (lit. mangé dansant)
oshi-zushi	**shari** + seafood, pressed	**shari** et fruits de mer pressés
oshibori	hot towel	serviette chaude
oshinko-maki	pickled radish roll	rouleau au radis mariné
ponzu	citrus juice, used in sauce	sauce au jus de citron
saba	mackerel	maquereau

DEUTSCH	ITALIANO	ESPAÑOL	PORTUGUÊS
Höflichkeitsvorsilbe	prefisso, indica cortesia	prefijo de cortesía	prefixo de cortesia
Tee	tè	té	chá
klare Suppe	brodo, consommè	sopa clara	sopa clara
fetter Tunfischbauch	pancia di tonno – parte grassa	ventresca de atún, alto contenido graso	barriga de atum gordo
Vorspeise	antipasti	entrantes	hors d'oeuvre, acepipes
Sashimi -Arrangement	presentazione artistica di **sashimi**	surtivo de **sashimi**	travessa de **sashimi**
Gedeck	apparecchiato	lugar de la comida	mesa da refeição
wird lebend gegessen (wörtl. tanzender Verzehr)	mangiare vivo (lett. danzante)	comida viva (lit. comer danzando)	comer vivo (lit. comida dançante)
Shari + Meeresfrüchte zus. gepreßt	**shari** + pesci, pressati	**shari** + pescado / marisco prensado	**shari** + frutos do mar, comprimido
dampfendes Handtuch	tovagliolo caldo	toallita caliente	toalha quente
Rolle m. eingelegtem Rettich	involtino di rafano sottaceto	rollito de rábano en vinagre	crepe de rabanete em vinagre, tipo pickle
Zitronensaft, z. Tunken	succo di limone giapponese, per salse	jugo de limón, para salsa	Sumo de citrino, para molho
Makrele	sgombro, macarello	caballa	cavalinha, sarda*

JAPANESE	ENGLISH	FRANÇAIS
sakana, -zakana	fish	poisson
sake	brewed rice wine	saké (alcool de riz)
sake (shake)	salmon	saumon
sashimi	raw seafood / meat	poisson / fruits de mer / viande, crus
sayori	halfbeak	sorte d'orphie
shako	mantis shrimp, squilla	squille (crustacé)
shari	vinegared rice for sushi	riz au vinaigre pour sushi
shirauo	whitebait*	blanchaille (menus poissons)
shirouo	ice goby, for **odori-gui**	variété de goujon de mer pour **odori-gui**
shiso	beefsteak plant, like peppery mint	herbe aromatique, sorte de menthe poivrée
shōyu	soy sauce	sauce soja
sushi, -zushi	**shari** + seafood / vegetables	**shari** et fruits de mer / légumes
sushi-ya	sushi bar	bar à sushi

DEUTSCH	ITALIANO	ESPAÑOL	PORTUGUÊS
Fisch	pesce	pescado	peixe
Reiswein	vino di riso fermentato ad alta gradazione	vino fuerte de arroz	aguardente de arroz
Lachs	salmone	salmón	salmão
rohe Meeresfrüchte / rohes Fleisch	carne / pesce crudi	pescado / marisco / carne crudos	peixe / marisco / carne crus
Jap. Halbschnäbler	pesce volante	pez volante	meia-agulha
Heuschreckenkrebs	gamberetto mantide, langustina*	quisquilla	tamaru (crustáceo)
in Essig marinierter Reis für Sushi	riso sottaceto per sushi	arroz en vinagre para el sushi	arroz avinagrado para o sushi
Jap. Nudelfisch	salangide, pesce stagionale di carne bianca	chanquetes*	peixe miúdo*
Meeresgrundel, für **Odori-gui**	gobide, ghiozzo* per **odori-gui**	gobio* helado para **odori-gui**	gobião* para **odori-gui**
Shiso Perilla	menta perilla	tipo de menta	ingrediente tipo hortelã
Sojasoße	salsa di soia	salsa de soja	molho de soja
Shari + Meeresfrüchte / Gemüse	**shari** + pesce / verdura	**shari** + pescado / marisco / verduras	**shari** + frutos do mar / legumes
Sushi Bar	sushi bar	sushi-bar	bar de sushi

JAPANESE	ENGLISH	FRANÇAIS
suzuki	sea bass	loup de mer
tai	red sea bream, red snapper*	daurade, vivandeau*
tako	octopus	poulpe
tamago	egg	œufs
tamago-yaki	omelette	omelette
tara	cod	cabillaud
tarako	cod roe	œufs de cabillaud
tekka-maki	tuna roll	rouleau au thon
temaki-zushi	cone-shaped **maki-zushi**	**maki-zushi** cônique
tobiko	flying fish roe	œufs de poisson volant
tōfu	soybean curd	pâte de soja
toku-jō	expensive	cher
torigai	cockle	coques

DEUTSCH	ITALIANO	ESPAÑOL	PORTUGUÊS
Zackenbarsch	persico*, spigola*, cernia*	lubina grande	robalo
Nordische Seebrasse	dentice, orata, triglia di scoglio	besugo	pargo, goraz*
Tintenfisch	polipo	pulpo	polvo
Ei	uova	huevo	ovo
Omelette	omelette	tortilla de huevo	omeleta
Kabeljau, Dorsch	merluzzo del pacifico	bacalao	bacalhau
Kabeljaurogen	uova di merluzzo	huevas de bacalao	ovas de bacalhau
Tunfischrolle	involtino di tonno	rollito de atún	crepe de atum
kegelförmiges **Maki-zushi**	**maki-zushi** a forma di cono	**maki-zushi** en forma de cono	**maki-zushi** em forma de cone
Rogen v. fliegenden Fisch	uova di pesce rondine	huevas de pez volador	ovas de peixe voador
Tofu	semi di soia raccagliati	cuajada de semilla de soja	soja coalhada
Teuer	caro	caro	caro
Herzmuschel	cardio, arsella*	berberecho*	berbigão*

JAPANESE	ENGLISH	FRANÇAIS
tsume	sauce, often from stock	sauce (souvent réduction de bouillon)
ume	Japanese apricot	abricot du Japon
ume-boshi	salted apricot	abricot salé
ume-kyū	**ume-boshi** + cucumber roll	rouleau à l'**ume-boshi** et au concombre
ume-shiso-maki	**ume-boshi** + **shiso** roll	rouleau à l'**ume-boshi** et au **shiso**
una-kyū	eel + cucumber roll	rouleau à l'anguille et au concombre
unagi	freshwater eel	anguille d'eau douce
uni	sea urchin roe	œufs d'oursin
uzura no tamago	quail egg	œuf de caille
wasabi	root vegetable, like horseradish	raifort vert (condiment)
yakumi	relish	condiment

En *Equivalent fish used in UK or US
F *Poisson équivalent utilisé en Europe

DEUTSCH	ITALIANO	ESPAÑOL	PORTUGUÊS
Soße, oft aus Brühe	salsa, spesso fatta da brodo	salsa, a menudo hecha de caldo	molho, normalmente de caldo
Jap. Aprikose	albicocca giapponese	albaricoque japonés	alperce, damasco
Eingelegte Aprikose	albicocca in salamoia	albaricoque salado	alperce de conserva
Rolle m. **Ume-boshi** + Gurke	involtino **ume-boshi** + cetriolo	rollito de **ume-boshi** + pepino	crepe de **ume-boshi** + pepino
Rolle mit **Ume-boshi** + **Shiso**	involtino **ume-boshi** + **shiso**	rollito de **ume-boshi** + **shiso**	crepe de **ume-boshi** + **shiso**
Rolle m. Aal + Gurke	involtino anguilla + cetriolo	rollito de anguila + pepino	crepe de enguia + pepino
Süßwasseraal	anguilla giapponese	anguila de agua dulce	enguia de água doce
Seeigelrogen	uova di riccio di mare	huevas de erizo de mar	ovas de ouriço do mar
Wachtelei	uova di quaglia	huevo de codorniz	ovo de codorniz
Wurzelgemüse, wie Meerrettich	rafano giapponese	raíz de un rábano verde muy picante	como o rábano
Relish	salsa piccante o condimento	guarnición	condimento

- **Ⓓ** *Vergleichbarer, in Deutschland verwendeter Fisch
- **Ⓘ** *Questi sono i pesci più simili a quelli giapponesi comunemente usati in Italia.
- **Ⓔ** *Pescado que se utiliza en Europa como equivalente del japonés
- **Ⓟ** *Peixe equivalente usado na Europa

Published by: Cross Media Ltd. 13 Berners Street, London W1P 4BY, UK
TEL: 0171-436-1960, FAX: 0171-436-1930 www.crossmedia.co.uk
Project manager: Kazuhiro Marumo   Editor: Jacky Rodger
Designer: Misa Watanabe   Photographer: Teruyuki Yoshimura
Translators: Elizabeth Ganne, Brigitte Scott, Alessandra Gori-MacKenzie, Roser Vich, TIPS,Lda
Thanks to: Arigatō Supermarket (London), Utsuwa-no-yakata (London), Matsuri St. James's (London),
Nobuaki Moriyama, Yukiko Tajima   Photography and text © Cross Media Ltd. 1998 Printed in Japan
ISBN: 1 897701 91 8